1ª edição, 2020

Texto adequado às regras do novo Acordo Ortográfico da Língua Portuguesa

Coordenação editorial: Miriam Gabbai
Editor assistente e revisão: Ricardo N. Barreiros
Tradução, projeto gráfico e diagramação: Thiago Nieri

Dados Internacionais de Catalogação na Publicação (CIP)

Angélica Ilacqua CRB-8/7057

Popescu, Roxana

   Brilhante / texto e ilustrações de Roxana Popescu ; tradução de Thiago Nieri. -- São Paulo : Callis, 2020.

   36p. : il. ; color.

   ISBN 978-65-5596-002-0
   Título original: *Brighter*

   1. Literatura infantojuvenil 2. Bondade - Literatura infantojuvenil
3. Esperança - Literatura infantojuvenil 4. Amizade - Literatura infantojuvenil
I. Título II. Nieri, Thiago

20-1633   CDD: 028.5

Índices para catálogo sistemático:

1. Literatura infantojuvenil 028.5

ISBN 978-65-5596-002-0

Impresso no Brasil

2020

Callis Editora Ltda.
Rua Oscar Freire, 379, 6º andar • 01426-001 • São Paulo • SP
Tel.: (11) 3068-5600 • Fax: (11) 3088-3133
www.callis.com.br • vendas@callis.com.br

BRILHANTE

ROXANA POPESCU

Tradução de
Thiago Nieri

callis

TALVEZ VOCÊ NÃO CONSIGA CURAR DOENÇAS.

TALVEZ VOCÊ NÃO CONSIGA CONSTRUIR CASTELOS NO ESPAÇO.

TALVEZ VOCÊ NÃO CONSIGA ENCERRAR UMA GUERRA.

TALVEZ VOCÊ NÃO CONSIGA INVENTAR
IDIOMAS OU CARROS VOADORES.

TALVEZ VOCÊ NÃO CONSIGA EXPOR EM GALERIAS DE DIAMANTES

OU TOCAR E DANÇAR EM PALCOS DE OURO.

TALVEZ VOCÊ NÃO CONSIGA PLANTAR FLORESTAS
QUE VIVERÃO PARA SEMPRE

OU REESCREVER UNIVERSOS ATRAVÉS DOS TEMPOS.

MAS VOCÊ ACALMA OS CORAÇÕES ABALADOS.

E SEGURA AS MÃOS TRÊMULAS.

E OUVE O QUE NÃO FOI DITO.

E ACENDE ESTRELAS NOS OLHOS QUE ESTÃO TRISTES.

E SE AQUECE NA CAMA À NOITE

PARA QUE A MANHÃ CHEGUE E CONSERTE O QUE FOR PRECISO.

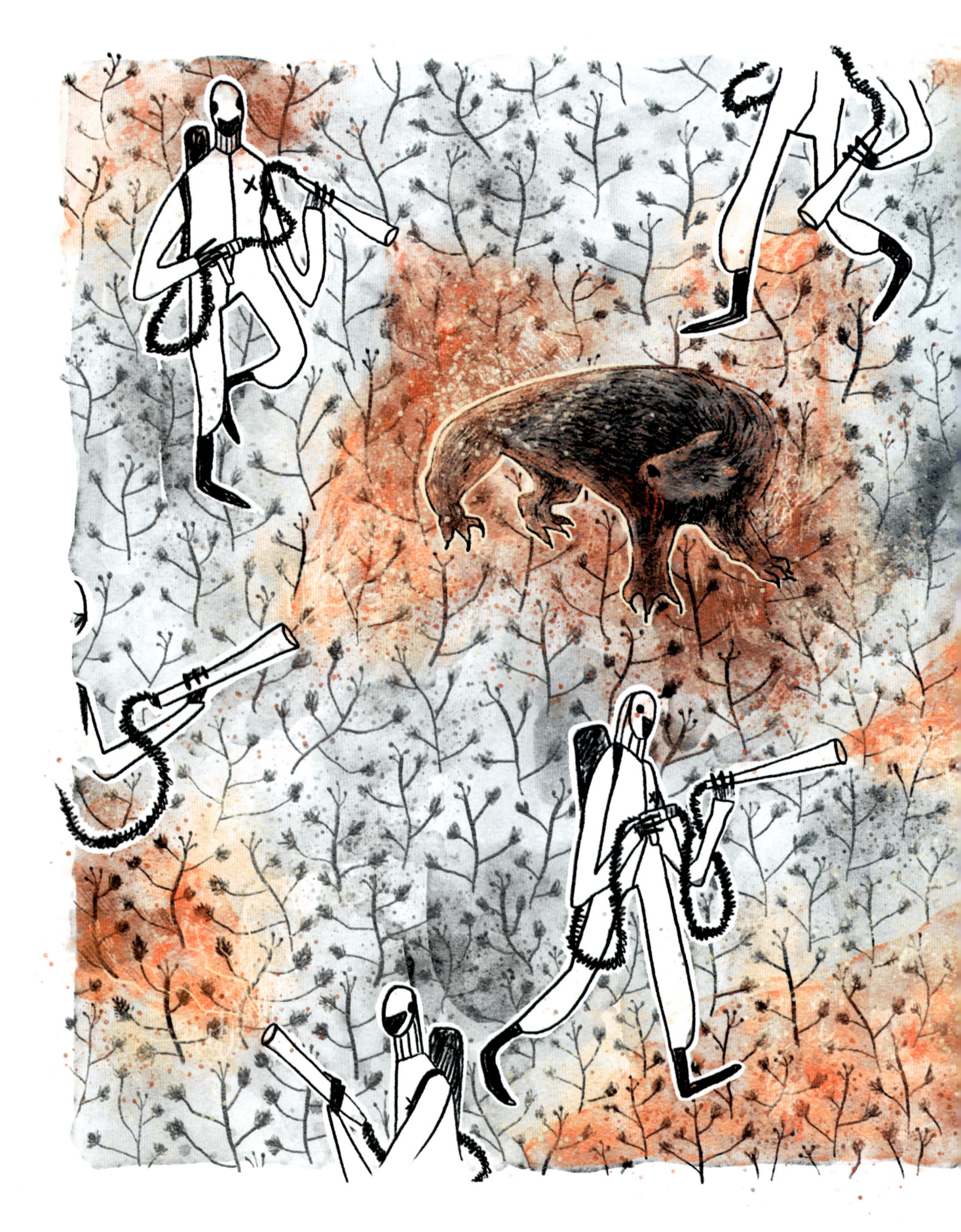

E, QUANDO ESTIVER ESCURO E
VOCÊ NÃO ACREDITAR NA LUZ...

DÊ UM SORRISO PARA O SOL E TRAGA A LUZ DE VOLTA.

E OLHE PARA O MUNDO QUE VOCÊ TOCA

TÃO GENTILMENTE.

E PRESTE ATENÇÃO EM

COMO VOCÊ TORNA TUDO MAIS BRILHANTE!

ROXANA mora em Falmouth, no Reino Unido. Lá ela concluiu a sua graduação em Ilustração e fez mestrado em Prática Autoral. Ela também tem formação em Animação e seu trabalho é voltado para contar histórias principalmente para o público mais jovem. Ela adora histórias que se passam em mundos distantes e em outras épocas e que falem sobre amizade, amor e esperança. No seu tempo livre, ela gosta de jardinagem, romances de ficção científica e poesia. Tudo isso ela coloca em seus livros.

Este livro foi impresso, em primeira edição,
em setembro de 2020, em couché 150 g/m^2,
com capa em cartão 250 g/m^2.